1 2 3
4 5

ONDE ENCONTRAR **UMA VACA**?
OVELHA
VACA
PATINHO
PATO
PORCO

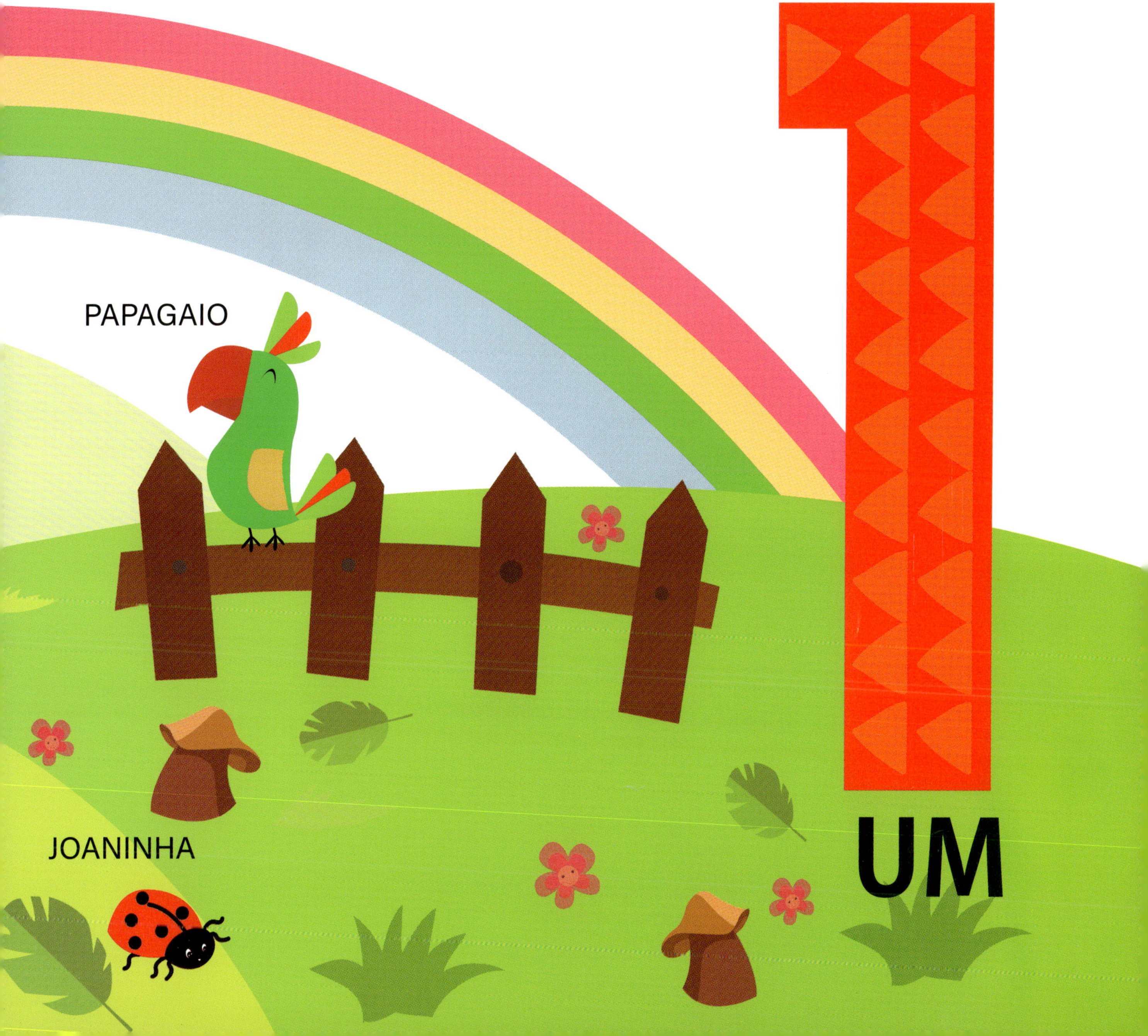
PAPAGAIO
JOANINHA
1
UM

ARARAS
ONDE ESTÃO AS **DUAS COBRAS**?
ZEBRAS
TARTARUGAS
COBRAS

DOIS
2
LEÕES

VOCÊ CONSEGUE ENCONTRAR **TRÊS FLAMINGOS** NA CENA?
PELICANOS
FLAMINGOS
CISNES

BEIJA-FLORES

TRÊS

3

PAPAGAIOS

ENCONTRE **QUATRO MAÇÃS** COLHIDAS DO POMAR.

CEREJAS

BANANAS

ABÓBORAS

LARANJAS

4

MAÇÃS

QUATRO

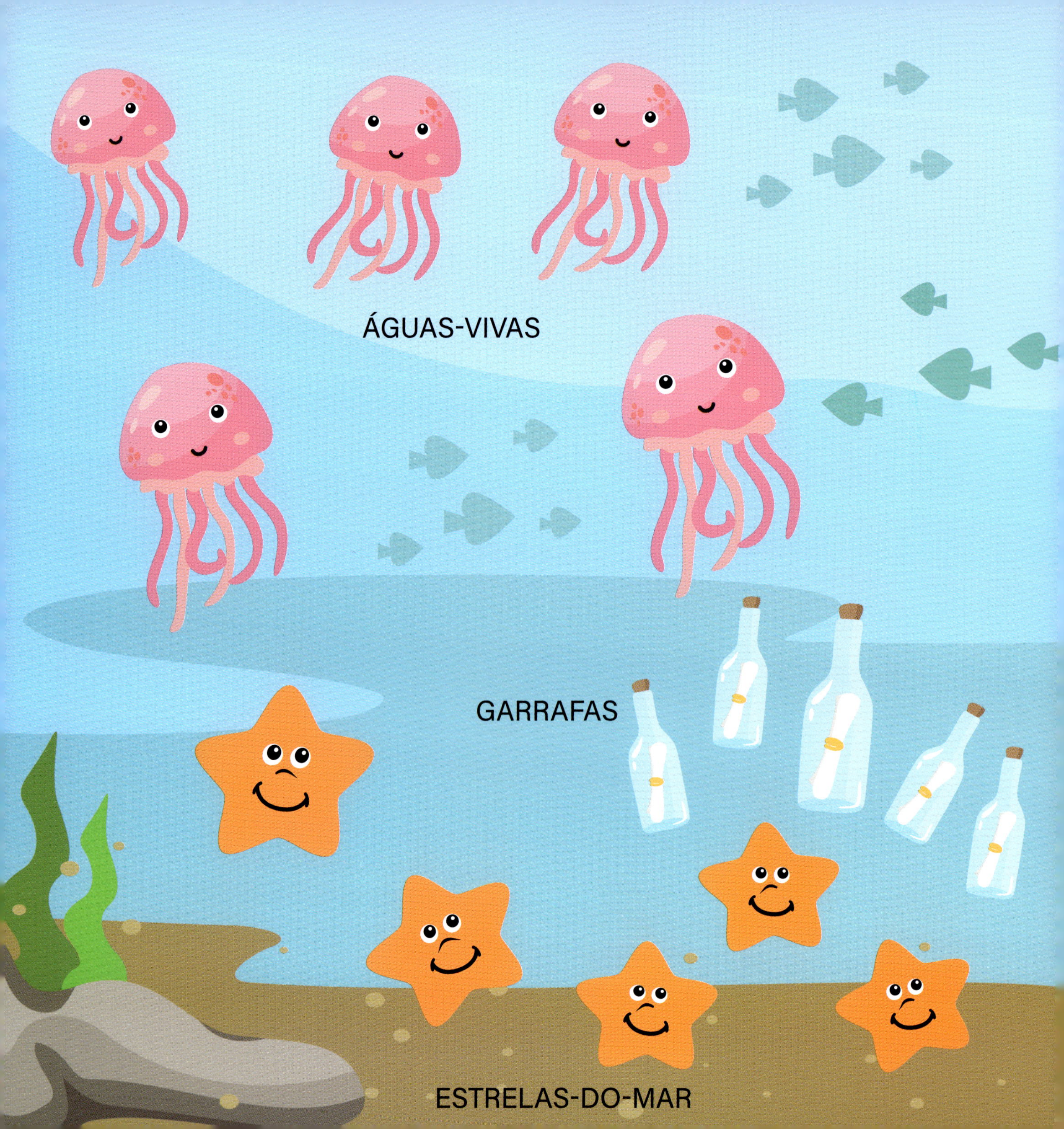
ÁGUAS-VIVAS
GARRAFAS
ESTRELAS-DO-MAR

CINCO

VOCÊ CONSEGUE ENCONTRAR **CINCO CARANGUEJOS** BRINCANDO NO MAR?

ENCONTRE **SEIS BOLAS** ENTRE OS BRINQUEDOS.

AVIÕES

SEIS

PINGUINS

ENCANTE-SE COM
A BELEZA DAS
SETE FADAS!
FADAS
SETE

QUANTAS **BORBOLETAS** ESTÃO VOANDO NO JARDIM?
MINHOCAS

OITO

BORBOLETAS

8

CONHEÇA O MUNDO ENCANTADO DOS **NOVE UNICÓRNIOS**.
UNICÓRNIOS

NOVE

VOCÊ CONSEGUE ENCONTRAR O CERCADINHO COM **DEZ FLORES**?
FLORES

DEZ

QUANTAS **MAÇÃS**
HÁ NA CENA?

QUANTOS **COELHOS** HÁ NA CENA?

QUANTOS **GIRASSÓIS** HÁ NA CENA?

QUANTAS **CENOURAS** HÁ NA CENA?

6 7 8
9 10

NÚMEROS

Um livro incrível p
você se divertir e
aprender os números!

1ª Edição em 2023
www.cirandacultural.com.br

Ciranda Cultural